WORD SEARCH Book for Kids

by
Jeremy Casey

Word Search Book for Kids by Jeremy Casey is a thoughtfully designed activity book for elementary school aged children. Featuring over 50 word searches of increasing difficulty, this book is sure to entertain kids on car rides and trips, at restaurants, and whenever else they need some enjoyment.

The book is divided up into four different difficulty levels. Level 1 starts with short recognizable words, smaller puzzles, and answers only going forwards or downwards. As the child progresses through levels 2, 3, and 4, they will encounter longer words, larger puzzles, plus diagonal and backwards answers. There is an answer key for each puzzle in the back of the book for any searches or words that prove too difficult.

LEVEL 1

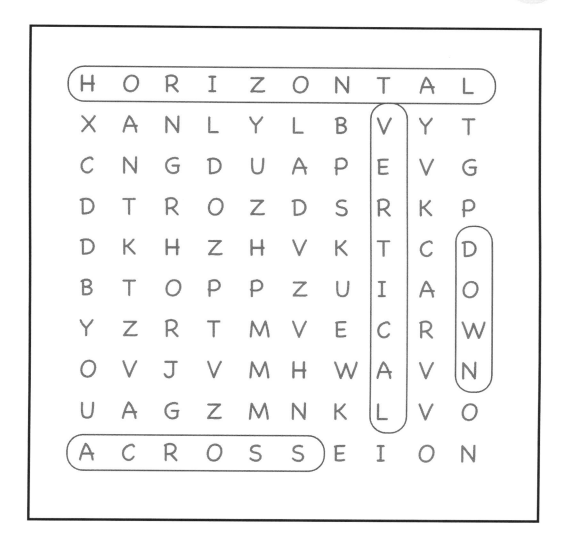

The word searches in Level 1 feature six words in the word bank. Each word can be found either going across from left to right, or going down from top to bottom. The puzzle above features four examples.

BEACH

```
C  R  A  B  F  H  D  W  P  C
S  W  G  Z  M  A  Q  A  C  A
A  G  Q  Y  G  S  Q  V  S  S
N  C  W  X  H  L  H  E  V  T
D  U  Y  A  Z  W  Q  S  G  L
D  G  T  U  E  F  C  W  L  E
R  S  H  E  L  L  K  T  W  Q
D  U  U  F  I  B  H  W  R  V
S  H  S  E  Y  W  L  R  B  E
O  C  E  A  N  T  W  F  V  N
```

WORD BANK

CRAB   CASTLE   SAND

OCEAN   WAVES   SHELL

BIRDS

```
K   C   R   O   W   I   M   H   X   J
D   X   I   U   J   M   T   A   P   N
F   X   V   J   H   R   C   W   A   J
X   X   L   S   Q   S   F   K   N   U
C   A   R   D   I   N   A   L   V   C
D   X   R   W   H   C   O   Q   Q   Y
P   N   R   O   B   I   N   C   Q   O
J   Z   T   Q   Z   M   I   C   U   W
G   M   N   X   P   S   D   Y   N   L
E   A   G   L   E   J   W   Z   L   M
```

WORD BANK

CROW	CARDINAL	ROBIN
EAGLE	OWL	HAWK

```
W  F  O  O  T  L  E  E  V  A
X  K  X  K  W  D  A  C  U  G
L  T  U  B  K  Y  R  H  H  O
D  T  F  B  I  U  M  Z  E  T
N  I  S  I  U  D  T  A  O
Z  D  E  R  V  T  H  I  D  R
B  A  C  K  K  J  G  X  S  L
Z  L  Y  S  E  I  A  W  T  E
E  O  Z  R  J  U  A  S  B  G
B  T  H  A  N  D  J  G  X  T
```

WORD BANK

BACK	HAND	HEAD
FOOT	ARM	LEG

6

COLORS

```
P  H  R  D  R  K  D  B  S  N
I  Y  E  L  L  O  W  R  T  Q
N  V  B  Y  U  A  F  O  A  G
K  L  J  H  O  Q  F  W  T  R
I  M  L  O  F  T  A  N  Y  E
K  C  Y  L  K  S  E  B  K  E
N  X  G  A  H  L  V  S  U  N
H  R  E  D  I  R  N  I  X  C
X  C  F  F  J  O  R  V  L  Y
U  B  L  U  E  N  T  Z  S  H
```

WORD BANK

YELLOW	BLUE	PINK
BROWN	GREEN	RED

DRINKS

```
S  I  L  E  D  R  S  J  K  Z
O  V  H  Y  G  V  L  U  B  X
D  H  Y  L  F  P  T  I  N  X
A  N  K  P  A  M  F  C  A  M
L  E  M  O  N  A  D  E  T  I
D  F  D  O  T  L  U  D  L  L
L  Q  D  B  M  W  K  F  S  K
Q  D  P  N  S  R  Y  P  T  Z
I  O  C  U  T  E  A  Q  O  B
W  A  T  E  R  C  Y  U  W  S
```

WORD BANK

SODA   LEMONADE   TEA

WATER   JUICE   MILK

```
L  W  L  R  W  Q  B  Y  R  C
K  O  Y  C  M  M  P  X  Z  H
L  F  T  Y  S  A  W  S  J  I
F  D  O  N  K  E  Y  H  K  C
D  S  S  Y  M  J  F  E  G  K
A  M  F  W  M  J  A  E  N  E
K  N  A  Y  X  X  K  P  X  N
H  O  R  S  E  W  K  B  G  J
U  H  P  W  J  X  Q  F  L  K
P  I  G  N  C  O  W  S  Z  A
```

WORD BANK

CHICKEN   SHEEP   DONKEY

PIG   COW   HORSE

```
L  I  L  Y  E  P  C  T  D  V
Z  F  Y  K  E  J  K  U  H  I
S  X  Z  L  X  D  D  L  D  O
D  W  N  R  D  I  K  I  K  L
L  X  F  B  A  T  L  P  V  E
H  V  G  L  I  F  B  B  M  T
Z  H  E  C  S  R  E  K  B  C
L  B  Q  E  Y  Z  X  X  W  I
Z  O  R  C  H  I  D  S  N  B
V  W  J  R  O  S  E  J  O  E
```

WORD BANK

ORCHID   ROSE   DAISY

LILY   TULIP   VIOLET

```
A  B  T  U  O  J  Z  G  A  G
C  E  R  E  A  L  A  D  E  A
W  U  N  U  H  H  B  K  L  P
T  S  T  N  B  O  S  G  E  P
R  F  N  W  D  C  Y  P  T  L
B  C  M  V  H  Q  I  Q  T  E
J  X  F  Z  R  E  X  R  U  Q
H  P  I  Z  Z  A  T  G  C  P
U  F  B  Q  N  C  A  K  E  O
B  A  N  A  N  A  L  Q  W  V
```

WORD BANK

BANANA	APPLE	CAKE
LETTUCE	PIZZA	CEREAL

HOUSE

```
O O J Y J V N I K R
D P Q J D H Y R I O
E A Z H H R P N T O
N R Q J C O M Q C F
L D O O R Z Y L H O
A C T W O A Q F E X
R L N U O Y W I N V
W I N D O W D V L Z
A L X V V A X A B F
D U D P O R C H F O
```

WORD BANK

KITCHEN   DOOR   WINDOW

ROOF   PORCH   DEN

```
L  X  E  Q  Q  T  Q  K  R  V
G  U  I  T  A  R  S  A  N  I
S  V  O  H  C  U  E  O  T  O
G  O  E  T  R  M  M  O  G  L
I  V  J  C  R  P  K  E  O  I
R  L  I  R  T  E  S  P  X  N
G  K  Y  I  F  T  Z  N  J  H
S  Y  X  G  T  U  B  A  H  X
D  R  U  M  S  Z  Y  D  T  A
I  S  P  I  A  N  O  I  D  G
```

WORD BANK

DRUMS   PIANO   VIOLIN

GUITAR   TRUMPET   TUBA

NUMBERS

```
S  S  F  H  Q  B  V  R  T  W
I  W  O  K  G  B  R  Y  H  X
X  Z  U  U  Z  W  N  D  R  G
T  U  R  X  E  E  U  A  E  J
P  K  S  N  L  N  B  D  E  K
D  F  I  V  E  U  G  Q  J  O
D  R  V  R  W  G  I  V  K  O
P  B  X  S  R  W  Q  V  B  Z
M  P  K  L  H  F  T  W  O  B
J  O  N  E  Y  C  D  P  D  A
```

WORD BANK

TWO	SIX	FIVE
FOUR	ONE	THREE

PETS

```
Q  D  X  C  Q  O  N  Y  I  K
L  E  B  A  D  G  P  F  K  R
H  V  O  T  E  W  E  I  X  A
A  W  G  K  K  Q  Z  S  N  B
M  C  J  D  G  N  S  H  F  B
S  R  P  E  L  M  G  E  O  I
T  W  P  P  X  M  B  G  Q  T
E  I  I  L  W  A  V  V  O  K
R  B  I  R  D  U  K  Y  M  Q
P  M  F  B  I  D  O  G  M  S
```

WORD BANK

DOG	FISH	RABBIT
BIRD	CAT	HAMSTER

PLANETS

```
V  M  R  S  B  N  J  K  N  H
E  F  J  L  N  G  Q  T  E  L
N  J  Z  X  A  Q  T  R  P  T
U  P  G  Q  C  S  B  W  T  E
S  A  T  U  R  N  U  E  U  E
E  A  U  M  S  I  K  R  N  A
N  K  D  M  A  J  Q  X  E  R
O  T  U  L  O  Y  U  V  P  T
J  U  P  I  T  E  R  W  J  H
V  Q  A  P  M  A  R  S  W  F
```

WORD BANK

EARTH   MARS   VENUS

JUPITER   SATURN   NEPTUNE

```
S   W   J   S   S   M   P   B   U   U
J   I   M   X   M   K   Q   G   H   Z
T   D   W   S   A   H   Q   D   K   B
R   E   U   U   L   A   T   K   E   I
F   C   E   W   L   X   N   J   B   G
S   H   O   R   T   E   O   W   T   S
Y   K   E   B   F   M   P   M   H   J
A   P   U   Y   O   C   D   R   I   Y
Y   D   H   Y   M   U   W   N   N   K
D   T   A   L   L   W   C   N   D   V
```

WORD BANK

SHORT	SMALL	WIDE
BIG	TALL	THIN

```
D O R O N D G U Q T
D M S U N S E T M B
R O G L G O Y B O D
A Q Z V U R N S O U
I B C H Y F V I N Y
N H Z B X I L T E G
B V U P J D A V W S
O R Z L M Z K Y O U
W F E C L O U D I N
O S T A R G G G M H
```

WORD BANK

RAINBOW	STAR	SUN
SUNSET	CLOUD	MOON

STATES

```
K  A  N  S  A  S  A  X  D  O
S  A  R  U  L  X  E  C  I  H
H  L  H  M  Z  N  U  O  O  I
D  O  R  A  W  U  G  R  T  O
C  Q  G  I  W  Y  O  T  E  N
J  O  R  N  I  V  C  O  X  Z
C  E  Q  E  U  M  D  E  A  O
O  R  E  G  O  N  E  Z  S  W
J  O  O  I  I  Z  E  Q  T  A
Q  R  U  T  A  H  V  G  P  D
```

WORD BANK

KANSAS	OHIO	OREGON
MAINE	UTAH	TEXAS

```
W  C  B  D  F  W  M  I  N  L
C  H  E  R  R  Y  S  T  K  P
X  V  F  W  H  H  W  I  F  A
J  Y  S  F  W  D  I  G  U  L
T  Q  B  R  P  J  L  J  F  M
W  U  T  P  P  M  L  P  P  J
O  B  M  W  D  T  O  E  I  C
L  M  T  S  O  W  W  K  N  G
V  M  A  P  L  E  W  U  E  T
O  A  K  I  P  A  C  R  X  S
```

WORD BANK

MAPLE	WILLOW	OAK
PINE	CHERRY	PALM

20

```
T O F R S N O W W D
H X E T S D N J M R
U Z S K N E X Y S I
N U G V L T J V F Z
D C U F Y F B O O Z
E D B F Q Z C M G L
R A I N T P I G T E
X K Y K R Q A B E B
X Z H F A W B O C W
L I G H T N I N G I
```

WORD BANK

LIGHTNING   FOG   RAIN

SNOW   THUNDER   DRIZZLE

```
D I R T A D O K E R
P H J Y I K H E L O
G Y J E B M G C E C
X K K N A N D B A K
Q K A W D T G J V Q
T R E E I D Z W E B
V O S M G R A S S S
L D P E D V B Q W K
L H N P C N O W K Z
Q F L O W E R K Q W
```

WORD BANK

ROCK	DIRT	TREE
FLOWER	GRASS	LEAVES

22

```
D G I K W M Z M I S
D H J T M O F P M T
I D U G W N M F V I
Z E B R A K C D V G
K N T H E W W B E E
D I B L C Y N J E R
B N Q J L Y R P A B
V F K K F S R Y R K
S E A T P A N D A E
L I O N F Y M X U U
```

WORD BANK

TIGER PANDA BEAR

MONKEY ZEBRA LION

LEVEL 2

The word searches in Level 2 feature six words in the word bank. Each word can be found either going across, down, or diagonally as seen in the puzzle above.

AIRPLANE

```
F  R  W  Z  N  N  A  P  L  K
Y  L  R  I  X  W  D  I  W  O
X  Y  I  H  N  U  B  L  L  W
B  Z  U  G  C  G  B  O  V  W
M  Y  F  O  H  F  N  T  E  I
Q  Q  X  A  P  T  R  X  Q  N
F  A  S  N  C  U  A  D  Z  D
E  N  G  I  N  E  Q  W  Z  O
M  H  W  N  T  J  U  Z  L  W
N  Z  Z  Z  T  A  I  L  D  L
```

WORD BANK

WING   ENGINE   PILOT

TAIL   FLIGHT   WINDOW

BICYCLE

```
N A K P S U A W A C
F W Z C E J Q P S N
E O K I A D Q I W Y
L G R F T W A K U P
K W O K U X U L A C
O J B J A R H X O H
L U U Z G O V A V A
R I E J Y Y Y I L I
B R A K E E Z Z O N
T I R E J M S V O Y
```

WORD BANK

PEDAL	BRAKE	CHAIN
TIRE	SEAT	FORK

CAR PARTS

```
P  R  R  I  C  A  I  H  S  W
T  T  W  O  S  D  Y  J  K  I
S  I  Z  T  U  J  M  E  N  P
Z  E  R  P  R  P  X  J  R  E
Y  P  D  E  I  U  P  T  T  R
M  X  W  Q  G  D  N  J  A  S
N  I  A  V  Y  H  S  K  N  N
E  N  G  I  N  E  I  C  K  H
K  G  N  G  C  W  J  J  X  L
E  D  O  O  R  C  E  F  X  M
```

WORD BANK

TIRE	ENGINE	TRUNK
DOOR	WIPERS	TANK

CLEANING

```
D S P S C R U B K S
E U P K S I Q R L P
D D S R C H F L A O
Y R A T A M R P J N
B C P M G Y Y D I G
D U B M W C M P S E
A P E P Y N I O S X
Y F O D W O Y O T S
Y H O T S W E E P E
G M O P V T Q Y U H
```

WORD BANK

DUST   SPONGE   SPRAY

SCRUB   SWEEP   MOP

29

CLOTHES

```
D A E Z R W F A S M
Y R C L B F P D H X
U U E L E S E W I O
J J E S G D C P R P
L C V A S M M A T U
I M O B W P Y N S C
Z G L A H Y Q T V P
S H O R T S I S G N
K B R C H O E V P G
C A O D S H O E S D
```

WORD BANK

SHOES   SHORTS   DRESS

PANTS   COAT   SHIRT

COOKING

```
B  G  K  S  Z  W  D  B  W  P
F  O  J  W  N  O  V  A  Y  A
M  J  I  Y  Z  R  X  K  T  N
N  A  Y  L  N  X  J  E  J  M
N  S  P  I  Y  I  Q  Z  B  W
O  P  L  R  L  G  U  C  S  F
G  W  V  O  O  S  R  D  T  I
F  N  X  W  F  N  P  H  I  Z
H  F  L  O  U  R  V  V  R  M
G  D  Q  Q  G  G  T  M  A  Z
```

WORD BANK

BAKE	BOIL	PAN
APRON	STIR	FLOUR

DOG TRICKS

```
S   W   D   F   Z   U   M   U   S   M
P   I   Z   T   G   J   W   Q   T   F
K   Q   T   Q   U   T   U   R   A   E
S   Q   M   Q   H   E   V   C   Y   T
Z   H   M   U   F   A   Q   D   C   C
W   N   A   Q   I   W   H   Z   X   H
A   G   O   K   W   C   E   M   G   O
Z   S   Q   V   E   Z   E   Z   G   G
C   O   M   E   M   P   L   D   D   W
X   Y   H   B   V   H   J   Z   P   K
```

WORD BANK

COME	SHAKE	HEEL
SIT	STAY	FETCH

```
B  D  B  P  L  Q  X  X  F  V
S  A  Y  B  W  C  B  Q  A  Z
D  P  R  B  A  E  B  K  R  R
P  D  D  N  R  Y  G  I  M  K
R  C  A  P  A  Q  C  K  E  C
R  P  M  P  U  I  C  H  R  R
T  R  A  C  T  O  R  D  W  O
Z  N  F  U  B  Y  P  Y  X  P
S  C  A  R  E  C  R  O  W  K
V  S  H  S  O  I  L  J  G  H
```

WORD BANK

FARMER   CROP   SOIL

BARN   SCARECROW   TRACTOR

33

GROCERY

```
A C S V V G D B H P
F I G R X D S F B R
R R S P B A G N A O
P Y E L M Y Z W K D
J J V E E R G B E U
G G Z P Z J O C R C
Z U H L Y E Z A Y E
U O I T P M R R V C
C H E C K O U T N G
R K R E L R V U G B
```

WORD BANK

CART   BAKERY   FREEZER

CHECKOUT   PRODUCE   AISLE

34

INSECTS

```
F  L  E  A  Y  F  A  N  T  K
G  V  O  N  N  X  D  B  N  T
T  Y  Y  H  D  N  H  X  J  B
F  J  G  I  H  R  Z  J  N  D
A  B  D  X  M  W  Z  Y  F  I
A  M  Z  X  E  N  A  V  N  M
F  F  E  B  V  L  H  S  I  O
S  C  L  H  N  G  F  P  T
Z  H  P  Y  C  N  P  I  R  H
B  E  E  D  U  R  F  I  H  V
```

WORD BANK

BEE　　　　　WASP　　　　　FLEA

MOTH　　　　　FLY　　　　　ANT

```
P  L  E  B  B  P  C  Z  C  P
F  K  X  A  M  O  C  T  G  A
Q  I  H  G  S  J  A  H  S  D
A  Z  S  L  L  F  I  T  R  D
O  I  Z  H  J  F  P  F  V  L
D  Y  O  Z  I  S  J  X  I  E
W  A  T  E  R  N  Y  I  U  Y
O  R  X  I  Z  H  G  O  N  P
Y  F  V  C  A  N  O  E  O  Z
S  W  I  M  J  V  V  F  J  I
```

WORD BANK

BOAT	CANOE	PADDLE
WATER	SWIM	FISHING

```
S  L  R  C  B  I  W  A  Y  C
A  H  D  I  O  L  D  R  R  L
O  M  A  D  D  A  H  L  K  I
R  L  A  X  N  G  S  D  U  F
L  J  P  Z  I  N  E  T  H  F
H  E  F  I  Y  Z  Y  Y  I  Z
X  T  V  G  A  Z  R  Y  L  I
C  A  V  E  D  H  T  K  L  T
Q  K  P  L  A  I  N  I  L  M
B  P  Q  W  E  N  M  F  P  D
```

WORD BANK

CAVE   HILL   COAST

CLIFF   PLAIN   RIDGE

MONTHS

```
J  M  Y  Q  C  R  M  P  A  A
M  A  R  C  H  K  M  A  U  J
X  M  N  A  M  N  N  T  Y  Q
C  D  G  U  Y  S  N  I  D  V
K  X  V  C  A  N  N  H  S  A
I  P  D  Z  J  R  Y  O  C  J
V  U  B  I  Y  F  Y  P  O  U
Y  A  U  G  U  S  T  J  Y  L
U  Q  E  V  C  Z  R  V  T  Y
W  A  J  U  N  E  J  R  C  T
```

WORD BANK

AUGUST	JUNE	JULY
JANUARY	MAY	MARCH

```
D F X Q U H W U J C
H E K E W T W Q C R
F I S H G H Y X S A
C T J T T H A E W B
I L V A U O R L T H
F E A F X P S P E M
P O H M W Q X M E H
J F S I I O R D E Y
T S H A R K C L L S
E D R E A X O T I W
```

WORD BANK

CRAB   FISH   CLAM

EEL   SHARK   WHALE

```
D  G  N  V  J  D  Q  T  S  C
U  R  C  A  C  U  Q  J  S  Z
S  W  I  N  G  Y  M  L  E  N
D  W  Y  U  B  N  L  P  I  M
C  Z  G  C  Q  L  K  O  Z  S
X  L  Q  J  E  J  O  V  S  L
G  G  I  M  H  G  A  I  P  I
V  Y  M  M  S  Y  Z  R  I  D
B  Y  I  D  B  C  J  S  N  E
H  A  N  G  Y  M  O  D  C  U
```

WORD BANK

SPIN   CLIMB   HANG

SLIDE   SWING   JUMP

```
C  Q  M  H  I  K  H  D  V  C
B  R  B  W  Q  Z  S  E  S  W
H  C  O  X  O  Q  Q  T  L  P
C  O  W  S  O  P  W  O  O  J
C  D  N  E  S  O  A  U  W  P
T  S  T  O  P  I  R  R  Y  H
I  W  R  G  V  R  N  D  U  B
C  E  B  E  O  T  M  G  S  G
E  X  I  T  L  L  U  I  X  V
G  V  O  C  Y  I  E  L  D  Y
```

WORD BANK

DETOUR	YIELD	CROSSING
EXIT	STOP	SLOW

```
K  M  F  X  H  P  F  P  M  A
F  Y  E  I  K  G  V  L  K  K
V  F  G  T  E  F  V  A  G  O
N  D  D  O  E  G  W  N  C  R
C  D  G  J  D  O  R  E  Z  B
V  O  X  V  E  F  R  T  Z  I
S  L  M  T  A  Q  X  N  N  T
R  K  S  E  P  Y  W  K  Y  U
O  P  A  S  T  A  R  S  O  L
G  A  L  A  X  Y  T  O  F  S
```

WORD BANK

COMET	ORBIT	STARS
GALAXY	PLANET	METEOR

SWEETS

```
C O U D N R C U R S
I H F E E L A B K Y
C O O K I E N U J R
X Y O C C F D W G U
B M K L O N Y J H P
V G Y A A L G B T C
J G W Y M F A O D A
S U E C A K E T N W
N Q P A V Q N P E I
B R O W N I E P U V
```

WORD BANK

COOKIE   CHOCOLATE   CAKE

BROWNIE   SYRUP   CANDY

43

TABLE

```
G  L  H  W  M  W  K  Y  J  N
I  L  U  N  W  N  N  Q  R  A
N  U  A  Q  L  P  I  N  H  P
F  K  D  S  N  T  F  Z  P  K
B  O  R  T  S  F  E  D  B  I
D  M  R  D  R  Z  U  D  S  N
B  I  O  K  O  I  P  O  J  G
P  H  P  L  A  T  E  W  B  R
H  P  N  Z  N  I  L  L  A  D
C  H  N  S  P  O  O  N  P  R
```

WORD BANK

GLASS	PLATE	NAPKIN
SPOON	KNIFE	FORK

```
W  R  G  R  G  R  N  L  V  P
R  O  I  J  Q  H  H  R  F  O
W  K  L  V  H  B  T  I  V  N
V  A  N  T  E  J  Y  T  U  D
L  N  Z  N  Q  R  Q  T  Y  C
R  A  S  E  J  P  O  G  Q  R
D  A  K  K  D  C  F  I  S  E
D  O  C  E  A  N  D  M  V  E
C  K  W  V  D  X  K  W  G  K
S  E  A  Z  Z  P  K  N  C  S
```

WORD BANK

RIVER	OCEAN	CREEK
SEA	POND	LAKE

45

LEVEL 3

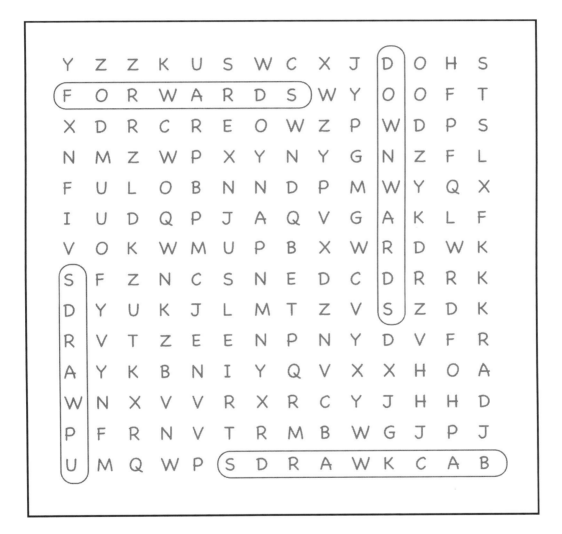

```
Y  Z  Z  K  U  S  W  C  X  J  D  O  H  S
F  O  R  W  A  R  D  S  W  Y  O  O  F  T
X  D  R  C  R  E  O  W  Z  P  W  D  P  S
N  M  Z  W  P  X  Y  N  Y  G  N  Z  F  L
F  U  L  O  B  N  N  D  P  M  W  Y  Q  X
I  U  D  Q  P  J  A  Q  V  G  A  K  L  F
V  O  K  W  M  U  P  B  X  W  R  D  W  K
S  F  Z  N  C  S  N  E  D  C  D  R  R  K
D  Y  U  K  J  L  M  T  Z  V  S  Z  D  K
R  V  T  Z  E  E  N  P  N  Y  D  V  F  R
A  Y  K  B  N  I  Y  Q  V  X  X  H  O  A
W  N  X  V  V  R  X  R  C  Y  J  H  H  D
P  F  R  N  V  T  R  M  B  W  G  J  P  J
U  M  Q  W  P  S  D  R  A  W  K  C  A  B
```

The word searches in Level 3 feature nine words in the word bank. The words in the puzzle going across can be forwards or backwards. Other words may be found going upwards or downwards. Look at the puzzle above for examples.

```
P  X  G  U  F  O  E  D  I  T  J  D
I  M  Y  A  L  L  E  R  B  M  U  G
E  L  O  D  A  E  J  P  Q  D  S  X
R  U  N  O  R  J  L  U  Z  W  X  N
G  V  T  L  Q  J  M  G  J  E  N  E
N  N  N  P  U  K  L  A  R  K  Q  E
T  J  F  H  U  M  L  K  I  K  C  R
E  U  R  I  Z  E  V  B  J  L  K  C
K  B  U  N  S  L  L  U  G  A  E  S
C  I  S  V  D  S  R  V  L  R  R  N
U  Z  D  S  C  Q  J  D  B  H  J  U
B  B  T  X  T  E  K  N  A  L  B  S
```

WORD BANK

BLANKET	BUCKET	DOLPHIN
PIER	SEAGULL	SUNSCREEN
SURF	TIDE	UMBRELLA

48

BODY

```
W  A  R  N  A  K  C  Q  W  S  D  O
W  H  S  R  J  F  A  T  A  K  A  L
F  Y  Q  H  A  I  R  I  E  I  K  J
M  U  O  L  Y  N  W  X  I  N  Q  R
B  O  N  E  R  G  K  X  G  E  O  T
S  H  V  B  O  E  I  H  M  S  A  H
G  P  T  E  Y  R  L  V  A  I  I  C
N  T  S  V  C  D  F  I  B  H  R  A
T  M  P  V  C  F  J  P  S  T  A  M
M  U  S  C  L  E  M  F  E  U  E  O
M  Y  R  S  I  T  I  N  M  O  W  T
O  B  R  A  I  N  U  N  C  M  Z  S
```

WORD BANK

BONE	BRAIN	FINGER
HAIR	MOUTH	MUSCLE
SKIN	STOMACH	TOE

CITIES

```
C H I C A G O L B Y I P
K S U N P A L O B J S M
N I E P B T J N T H T P
A C P D M L C D K G O E
Y G I D W A Z O N Y K N
G K E X P N I N G N Y B
L A B W A T N O T S O B
F J B Z A A L Q T R C L
S E A T T L E U C A P E
D A L L A S Q H E U G I
Z L J B Y J R E V N E D
X M V G Q E L S I R A P
```

WORD BANK

ATLANTA	BOSTON	CHICAGO
DALLAS	DENVER	LONDON
PARIS	SEATTLE	TOKYO

50

COLORS

```
S  I  L  V  E  R  N  P  D  L  O  G
Z  E  M  I  L  Z  Y  R  E  D  K  P
T  H  M  P  Z  N  J  N  M  O  P  S
Z  H  R  R  N  H  Y  P  A  G  U  W
T  H  H  O  F  L  Z  W  R  H  R  M
J  M  J  Q  J  A  D  L  O  W  P  V
V  B  B  M  O  T  W  P  O  Q  L  D
R  R  M  B  Z  I  K  Z  N  Y  E  R
R  G  X  O  R  A  N  G  E  Y  L  V
B  S  E  V  C  O  D  T  N  V  A  S
G  R  A  Y  J  R  T  P  I  A  E  Z
E  I  W  G  W  R  X  F  H  N  T  Y
```

WORD BANK

GOLD	GRAY	LIME
MAROON	NAVY	ORANGE
PURPLE	SILVER	TEAL

DOGS

```
C L K B C E H U S K Y U
O Y B V V V B Q M T S I
L Q L P I D Z B J T P G
L R R H K X Y L B A O
I T E R R I E R F F N D
E Q E O T V R B K B I L
F P L B D K Z L Q F E L
E Y D M C F X G H N L U
B I O V F I E V X T U B
N Z O B D R E H P E H S
M B P C D O E Q V J Q C
B E A G L E Q R E X O B
```

WORD BANK

BEAGLE   BOXER   BULLDOG

COLLIE   HUSKY   POODLE

SHEPHERD   SPANIEL   TERRIER

```
G  I  S  T  E  A  K  H  C  A  G  N
S  O  U  P  C  P  K  R  Y  W  Y  T
U  S  J  W  Z  L  H  J  E  C  I  R
O  T  W  C  B  A  S  E  P  A  R  G
T  F  V  I  B  Z  Q  Z  F  Z  R  C
L  J  P  J  Y  C  P  J  T  I  G  X
W  F  E  I  H  N  A  T  W  H  R  T
E  G  G  Z  P  U  S  N  H  I  Q  O
V  H  W  C  M  A  T  W  P  O  U  R
P  R  G  H  J  E  A  D  E  C  G  R
P  O  T  A  T  O  Z  X  Y  A  U  A
E  A  X  Y  V  S  C  Z  N  T  X  C
```

WORD BANK

CARROT	EGG	GRAPES
PASTA	POTATO	RICE
SOUP	STEAK	TACO

53

NUMBERS

```
T H I R T Y M E N I N F
V K R S G V X F M D Q O
B Q K G A R M T Z A Q U
D O Q B I D V I C C E R
K O N I B E W P T C B T
Y Z U Z E R O F E M Q E
Q S I A L N W V N Y Z E
E T M Z J E I L F P W N
Q H J S M V G M D O V I
U G U O W E J I C Y P C
S I L H L L E V L E W T
S E V E N E H C Z P F J
```

WORD BANK

TEN	TWELVE	ZERO
NINE	FOURTEEN	SEVEN
ELEVEN	THIRTY	EIGHT

54

SPORTS

```
H O H D L M G C F U Q T
O O N G F Q Y S I Z B E
C H G G W N M G O L F N
K B O W L I N G G X L N
E O L L D Q A U G D G I
Y C G L C H S E P D F S
D Q N A M A T L W W Q K
Z F I B Q A I B J H S N
O O T T E U C Y N V N I
T D A O W Y S G C Y P V
T X K O G N I M M I W S
E L S F X R E C C O S A
```

WORD BANK

BOWLING	FOOTBALL	GOLF
GYMNASTICS	HOCKEY	SKATING
SOCCER	SWIMMING	TENNIS

WEATHER

```
K F K N I R L D I M U H
S R B L A H J N J J J D
Q O G E J E N O L C Y C
E S R P C E R Q S D I A
R T O X Z R X M P T R C
D E W N K F W M J A E L
A H U R R I C A N E S O
X D L D D D T M C X I U
P O B D A O P B Q E R D
T O B J T H P X G J N Y
K L E A S H I Q A J U J
D F R E E Z E X H F S E
```

WORD BANK

CLOUDY	CYCLONE	DEW
FLOOD	FREEZE	FROST
HUMID	HURRICANE	SUNRISE

```
P  D  J  B  S  A  N  A  U  G  I  S
K  O  Q  Q  B  S  U  T  Q  V  T  L
E  L  E  P  H  A  N  T  Q  N  G  L
J  M  S  J  P  H  Q  I  E  U  O  A
B  O  O  D  U  I  I  P  O  U  R  M
E  R  O  J  M  P  I  G  R  J  I  A
F  E  R  M  P  P  D  C  D  U  L  M
F  C  A  T  M  O  T  O  C  Z  L  K
A  V  G  I  N  S  J  N  Y  M  A  W
R  I  N  E  O  M  W  I  G  U  N  D
I  H  A  U  I  J  H  H  T  O  L  S
G  Z  K  T  S  Z  E  R  E  V  Z  M
```

WORD BANK

ELEPHANT	GIRAFFE	GORILLA
HIPPO	IGUANA	KANGAROO
LLAMA	RHINO	SLOTH

57

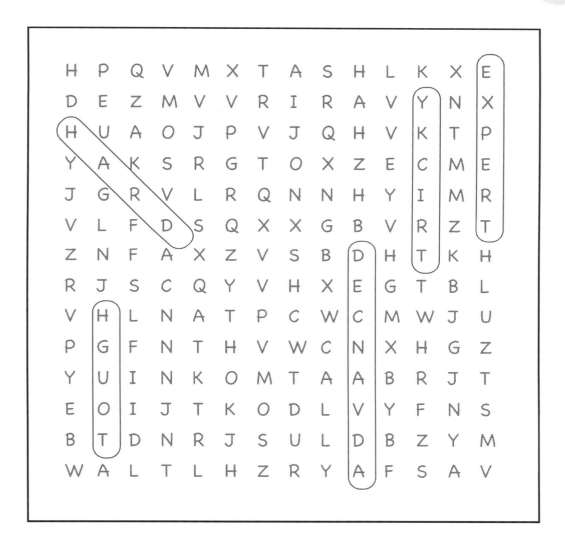

The word searches in Level 4 feature nine words in the word bank. Each word can be found either going forwards, backwards, upwards, downwards, or diagonally.

BIRDS

```
P S T D R I B G N I M M U H
E G A O S V F L M X G A Z S
L W I M D P U O N O E G I P
I Z Y H V I C L O B F F Z N
C B S X R R Y F T F M M A R
A C T P O Y S C H U J C U E
N U S N A M O A O I R P C K
X B F T R R W I Y T C E I C
Y Y R G T O R R A P A L G E
K X D P Q O Q O I K R S E P
N Z J R T O C X W G A B F D
E G H F I R G T A H G R W O
R J A K B Y X S H W Y R Y O
W S Z N I V M A L L A R D W
```

WORD BANK

HUMMINGBIRD   MALLARD   PARROT

PELICAN   PIGEON   SPARROW

VULTURE   WOODPECKER   WREN

H H M S P K W Y H L C U B I
B I X M Y B U U B A M R A A
I R K H U I O W M R H E C R
F M N I T Q T O S B A O K F
Z F Y U N R V D T W U K P O
J X O D W G V H T S K T A A
F L O R I T G P K A A R C M
S Q E Q E W J Q T N T A K N
L U M A I S U M Q W Z I U R
E C H L G U T B S T G L M E
R L C O M P A S S P T A B T
I H W S L N P F H U N A O N
F L C L H Y A Y I R E M V A
S L W I Z O P L F J T J L L

WORD BANK

BACKPACK	BOOTS	COMPASS
FIRE	FOREST	HIKING
LANTERN	TENT	TRAIL

CLOTHES

```
S  P  B  E  Y  X  J  Q  Z  Q  X  S  M  Z
I  K  J  N  U  D  S  H  G  P  L  C  X  O
N  N  I  S  V  I  B  W  A  N  Q  A  Y  X
L  G  W  R  W  A  F  R  E  T  L  R  K  G
M  B  W  C  T  W  E  F  Z  A  P  F  V  M
H  W  Y  M  V  U  J  G  H  X  T  C  S  V
A  V  M  F  S  L  B  O  O  T  S  E  V  T
A  I  E  X  B  Q  G  U  J  H  R  C  R  J
S  S  O  C  K  S  V  U  V  J  F  J  Y  I
E  H  L  C  T  U  V  D  T  E  K  C  A  J
V  E  S  K  T  I  W  I  F  J  C  P  B  R
O  E  T  K  I  M  Y  T  G  I  C  O  X  T
L  F  S  U  R  V  M  A  H  V  A  U  U  D
G  I  X  U  Y  X  H  S  A  M  A  J  A  P
```

WORD BANK

BOOTS	GLOVES	HAT
JACKET	PAJAMAS	SCARF
SKIRT	SOCKS	SWEATER

KITCHEN

```
D  T  W  J  B  L  X  A  W  Y  W  F  O  F
P  U  O  L  G  Q  T  K  K  N  I  S  R  E
P  Y  I  A  D  M  G  W  Q  P  O  X  C  P
B  J  Z  L  S  S  F  A  K  O  K  O  K  K
Y  L  Z  Y  S  T  G  C  X  N  I  V  O  E
T  L  E  S  I  J  E  B  Y  H  J  E  Q  A
G  P  R  N  R  L  U  R  Q  Z  S  N  Y  O
O  W  V  N  D  O  R  A  Y  N  S  N  A  P
S  S  E  P  K  E  S  D  H  X  W  B  I  X
W  F  V  W  G  T  R  L  J  X  Z  E  F  A
Q  E  G  M  I  C  R  O  W  A  V  E  T  V
V  L  E  B  F  V  O  Z  U  A  K  G  G  P
F  P  O  T  S  M  U  E  V  O  T  S  U  U
H  B  R  O  T  A  R  E  G  I  R  F  E  R
```

WORD BANK

BLENDER	MICROWAVE	OVEN
PANS	POTS	REFRIGERATOR
SINK	STOVE	TOASTER

```
M  B  P  Y  V  J  K  R  X  O  U  P  G  X
D  E  H  G  L  V  H  H  X  W  W  E  K  N
N  W  S  Y  B  A  W  Z  H  S  K  N  A  H
E  Z  R  A  D  I  W  B  Y  C  O  I  M  D
M  A  R  S  H  T  X  E  B  T  S  N  O  I
M  B  C  J  P  M  L  A  C  C  Z  S  K  O
U  Z  Y  L  I  L  E  C  V  W  B  U  C  C
A  O  F  J  U  T  A  H  F  V  S  L  Q  T
M  R  C  Z  P  O  M  T  C  D  N  A  N  A
D  S  M  M  E  J  M  M  E  N  F  Z  D  H
C  N  K  F  I  V  Y  B  H  A  L  T  W  C
I  P  I  V  K  C  S  R  R  L  U  Z  E  T
E  C  V  B  A  S  I  N  W  S  A  S  G  H
B  C  A  N  Y  O  N  O  R  I  F  E  E  R
```

WORD BANK

BASIN	BEACH	CANYON
ISLAND	MARSH	MESA
PENINSULA	PLATEAU	REEF

64

MEASURE

```
I Y D F Z W D G Y H E L I M
H K V E O M Y D A P O V S T
O C G R S O L K F L F K H L
Y R H R F M T Q H Q L C U Q
J T C U P D K E V D A O Z A
I J Q D Z Q W N E G I J N H
B X C U V G W H E R T N H
A M S U R P Q N Z Z A B H L
O P G F I M O Y D L F A T M
T U X E W J N U L P F M Y X
R Y N J I L X O N S G V A H
A U U C Q Q Y T K D V K R C
U R G E E J P Z P J Y H D N
Q M K U N N D P N U W Q F I
```

WORD BANK

CUP	FOOT	GALLON
INCH	MILE	OUNCE
POUND	QUART	YARD

OCEANS

```
J N S L Z R W N T M A Y V B
S E I T F A S R E T S B O L
E P L E U S E A H O R S E O
Q Y R L L N S B G R D C S T
Q C H N Y G A W G D I U Q S
P P C I M F Q V E O P C R V
S R T V F Y I J G G T Z J K
K H Q K Q Y Y S U R J S F I
Z S R Q Y P V P H O W U L G
C U I I F S H Y T V P P S V
X R P N M V L U L J L O L Q
J L T Q A P J K N C B T G D
Z A M Q H Y L J L L N C B G
H W Q O Y S T E R Z P O V Q
```

WORD BANK

JELLYFISH	LOBSTER	OCTOPUS
OYSTER	SEAHORSE	SHRIMP
SQUID	TUNA	WALRUS

SCHOOL

```
T S R Z K Q L A E O T R A O
Y S E S Y V O U H C V C C I
X R C V I Y G H N N D T S L
H C E I W W O O L C I N E W
W R S O E C Y U P S H C O Q
R M S D A N L F S B T V J G
I O W D M X C F G K J I Q V
T M Z E A X D E D H W P L A
I S M E T A Z H J N Q X X I
N O C L I B R A R Y P E O W
G E I F K D N N U M J H E R
C I S L Y I P M M Q D T L F
U Q U U Y H E G N I D A E R
I E M B O K U L O Y P M Q C
```

WORD BANK

ART   LIBRARY   LUNCH

MATH   MUSIC   READING

RECESS   SCIENCE   WRITING

SPACE

```
C S R Y C N R F L G S U C G
E G A B C M I O D F S P V U
I M V T K X N U C M H M R N
P S B V E J A P C K H X H I
R A R Z A L U M K Y E D D V
D A S L J C L S F U T T Y E
R Q Z T G K D I F H A D M R
Y Q V K R B X P T R A L O S
T V G V F O O N N E W U I E
I U Q N Z I N E S P I L C E
V Z U V H K C A F H G X I F
A S T E R O I D U J N M J P
R N O I T A L L E T S N O C
G B U P F O V L M N T U L J
```

WORD BANK

ASTEROID   ASTRONAUT   CONSTELLATION

ECLIPSE   GRAVITY   ROCKET

SATELLITE   SOLAR   UNIVERSE

```
M  I  S  H  I  F  A  I  N  I  G  R  I  V
E  A  K  T  Z  V  P  Q  J  X  B  Y  N  Z
Q  K  R  C  X  L  Y  A  D  I  R  O  L  F
F  U  H  Y  I  B  D  S  M  P  L  K  U  K
K  Z  T  D  L  F  F  I  D  A  H  O  Q  M
T  I  H  U  T  A  Y  T  N  O  M  R  E  V
N  I  C  Q  K  R  N  O  D  O  F  W  A  R
J  A  O  D  M  I  F  D  V  X  N  G  Y  V
S  N  T  W  R  A  A  C  C  A  M  D  G
S  A  Z  M  A  S  D  R  N  N  D  X  H  F
G  I  C  P  B  G  N  O  V  D  A  C  B  P
N  D  F  U  Y  W  F  L  Z  O  V  J  W  J
B  N  E  A  Q  U  Z  O  L  M  E  P  W  O
D  I  J  A  B  R  P  C  Y  E  N  W  A  U
```

WORD BANK

NEVADA	FLORIDA	COLORADO
IDAHO	INDIANA	IOWA
VIRGINIA	MARYLAND	VERMONT

ANSWERS

```
C R A B  F H D  W P  C
S W G Z M A Q  A C  A
A G Q Y G S Q  V S  S
N C W X H L H  E V  T
D U Y A Z W Q  S G  L
D G T U E F C  W L  E
R S H E L L  K T W  Q
D U U F I B H W R  V
S H S E Y W L R B  E
O C E A N  T W F V  N
```

Level 1 - Beach

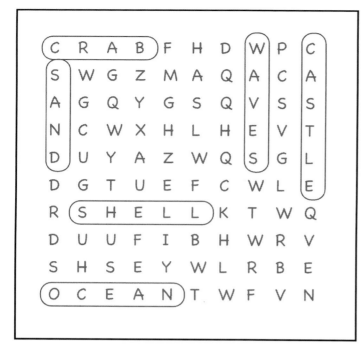

Level 1 - Birds

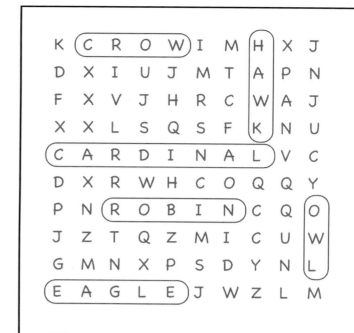

Level 1 - Body

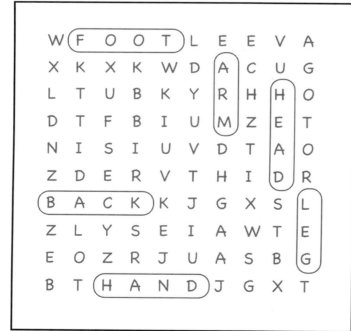

Level 1 - Colors

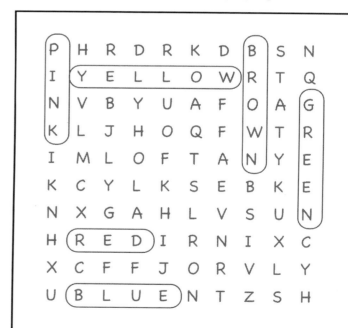

Level 1 - Drinks

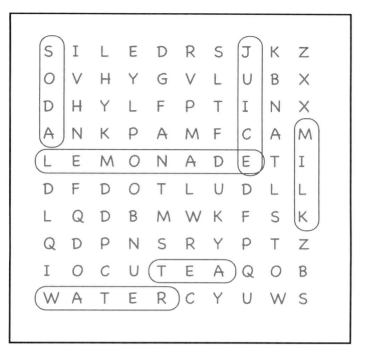

Level 1 - Farm

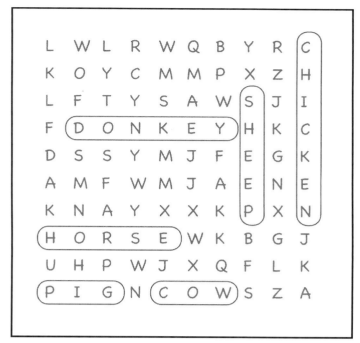

Level 1 - Flower

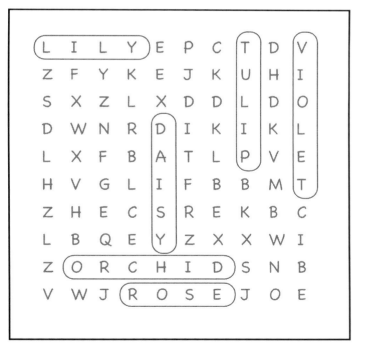

Level 1 - Food

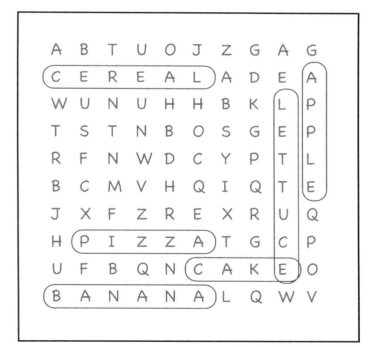

Level 1 - House

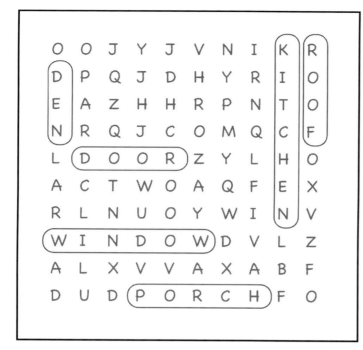

Level 1 - Music

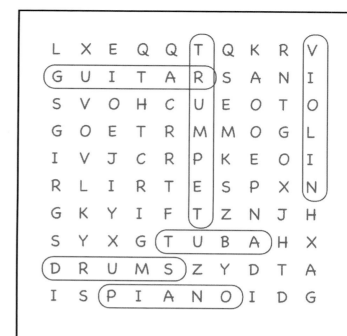

Level 1 - Numbers

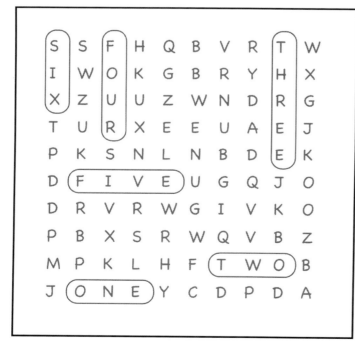

Level 1 - Pets

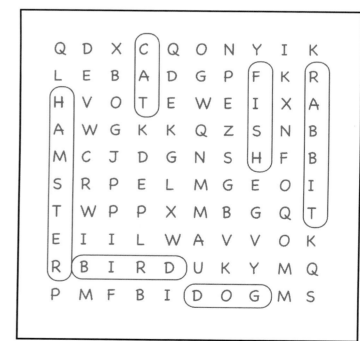

Level 1 - Planets

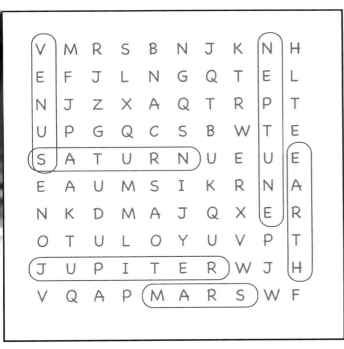

Level 1 - Sizes

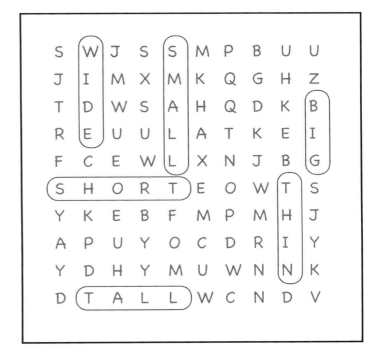

Level 1 - Sky

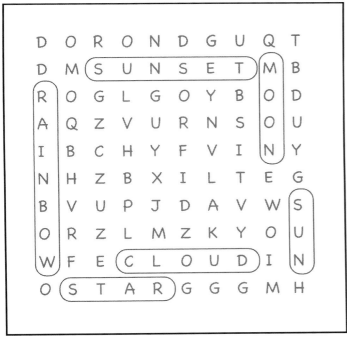

Level 1 - States

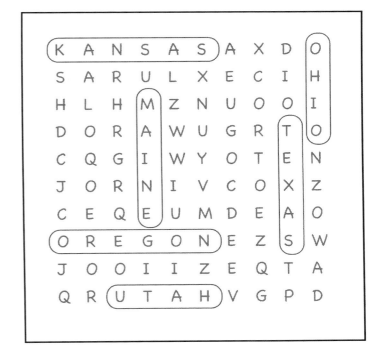

Level 1 - Trees

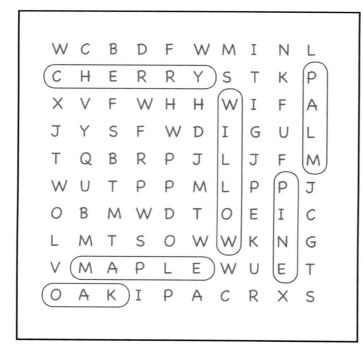

Level 1 - Weather

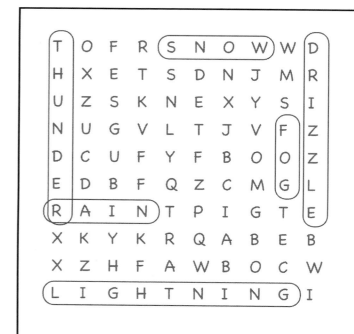

Level 1 - Yard

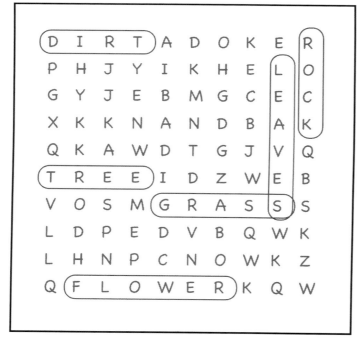

Level 1 - Zoo

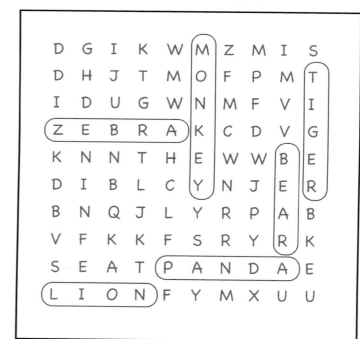

Level 2 - Airplane

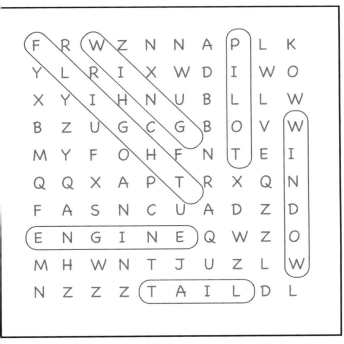

Level 2 - Bicycle

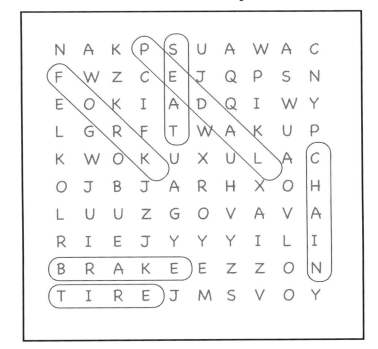

Level 2 - Car Parts

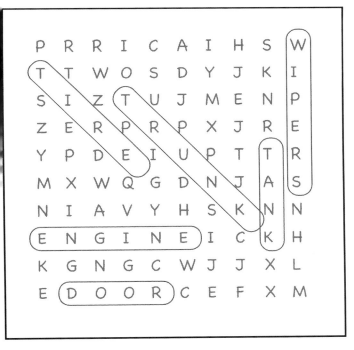

Level 2 - Cleaning

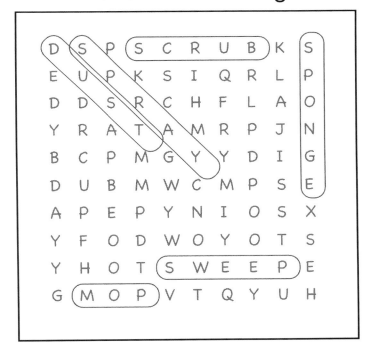

Level 2 - Clothes

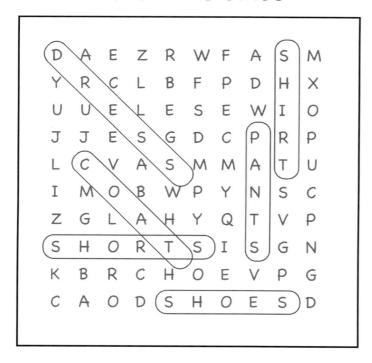

Level 2 - Cooking

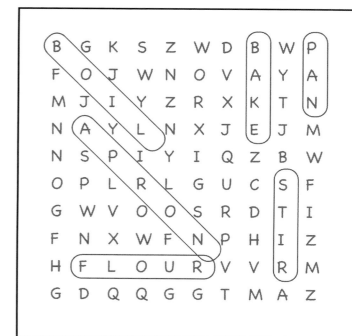

Level 2 - Dog Tricks

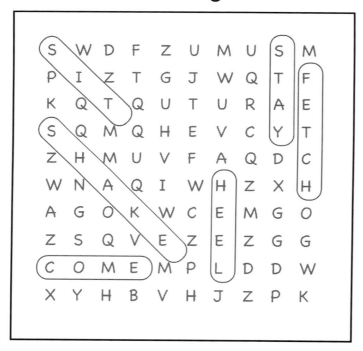

Level 2 - Farm

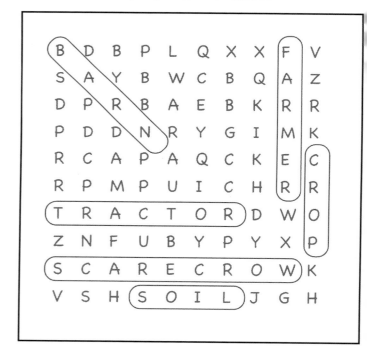

Level 2 - Grocery

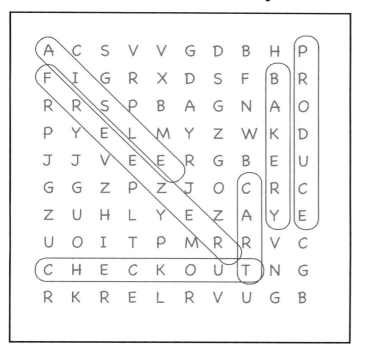

Level 2 - Insects

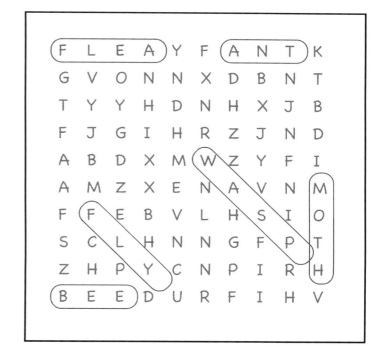

Level 2 - Lake

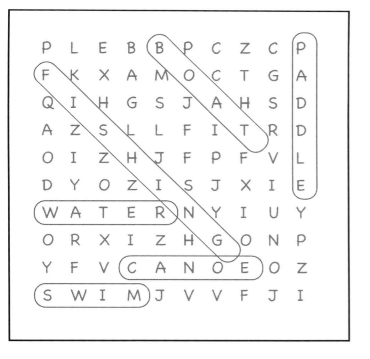

Level 2 - Land

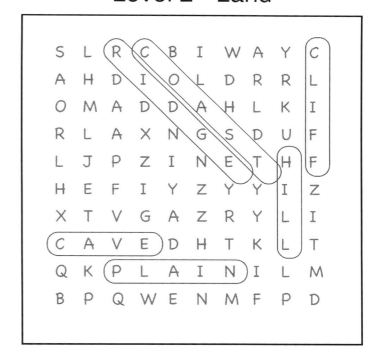

Level 2 - Months

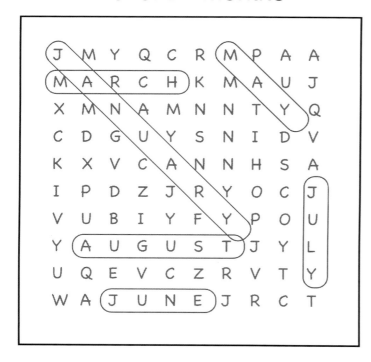

Level 2 - Ocean

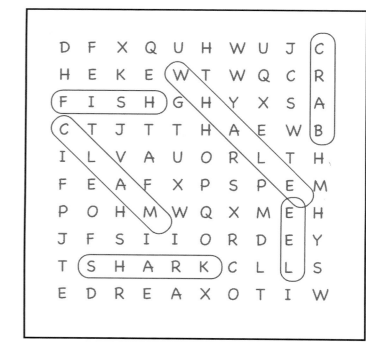

Level 2 - Playground

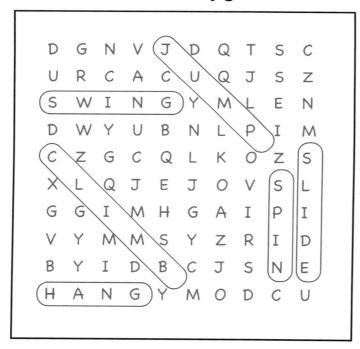

Level 2 - Road

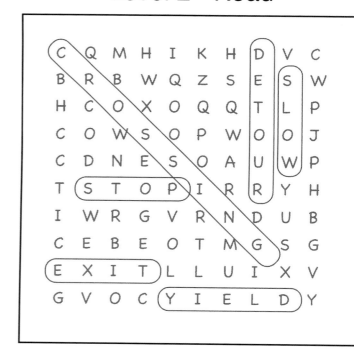

Level 2 - Space

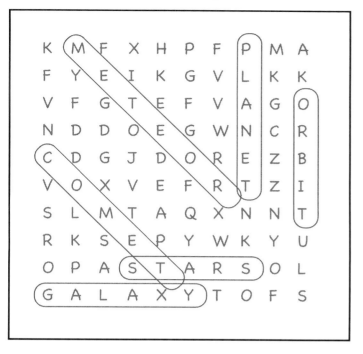

Level 2 - Sweets

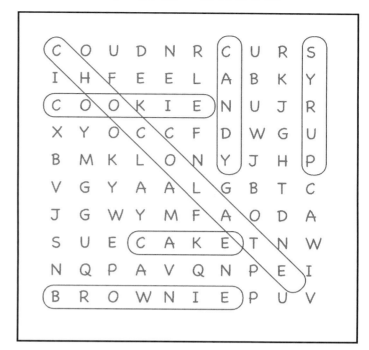

Level 2 - Table

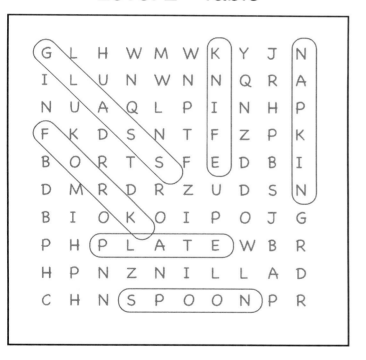

Level 2 - Water

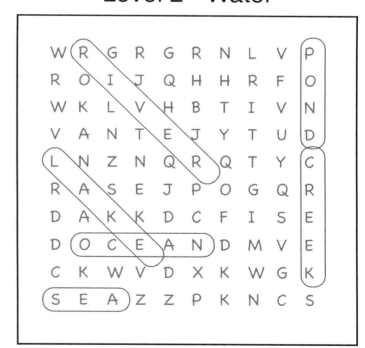

Level 3 - Beach

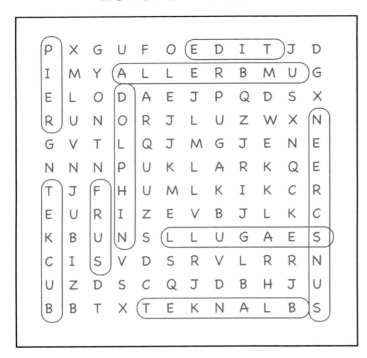

Level 3 - Body

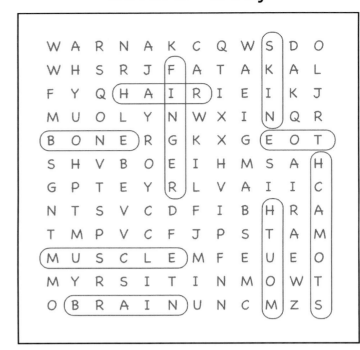

Level 3 - Cities

Level 3 - Colors

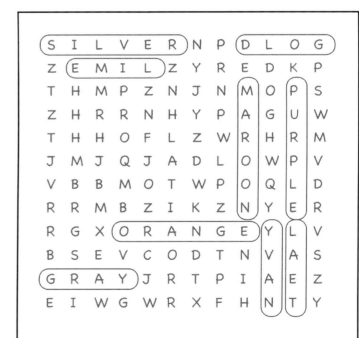

Level 3 - Dogs

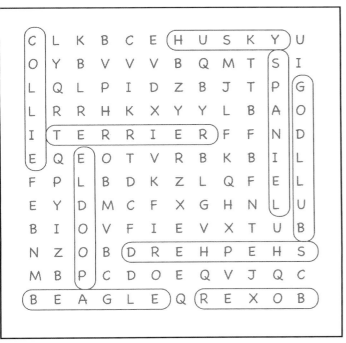

```
C L K B C E H U S K Y U
O Y B V V V B Q M T S I
L Q L P I D Z B J T P G
L R R H K X Y L B A O D
I T E R R I E R F F N D
E Q E O T V R B K B I L
F P L B D K Z L Q F E U
E Y D M C F X G H N L U
B I O V F I E V X T U B
N Z O B D R E H P E H S
M B P C D O E Q V J Q C
B E A G L E Q R E X O B
```

Level 3 - Food

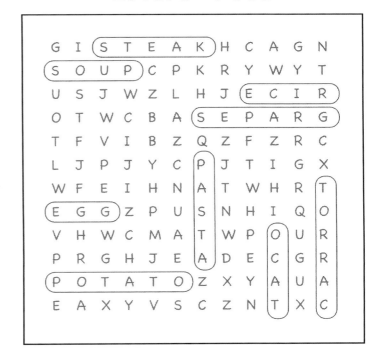

```
G I S T E A K H C A G N
S O U P C P K R Y W Y T
U S J W Z L H J E C I R
O T W C B A S E P A R G
T F V I B Z Q Z F Z R C
L J P J Y C P J T I G X
W F E I H N A T W H R T
E G G Z P U S N H I Q O
V H W C M A T W P O U R
P R G H J E A D E C G R
P O T A T O Z X Y A U A
E A X Y V S C Z N T X C
```

Level 3 - Numbers

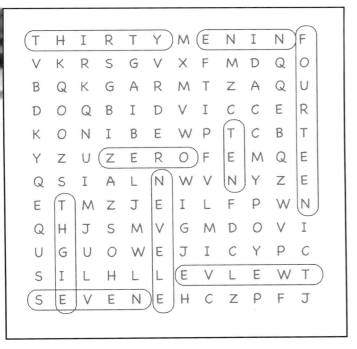

```
T H I R T Y M E N I N F
V K R S G V X F M D Q O
B Q K G A R M T Z A Q U
D O Q B I D V I C C E R
K O N I B E W P T C B T
Y Z U Z E R O F E M Q E
Q S I A L N W V N Y Z E
E T M Z J E I L F P W N
Q H J S M V G M D O V I
U G U O W E J I C Y P C
S I L H L L E V L E W T
S E V E N E H C Z P F J
```

Level 3 - Sports

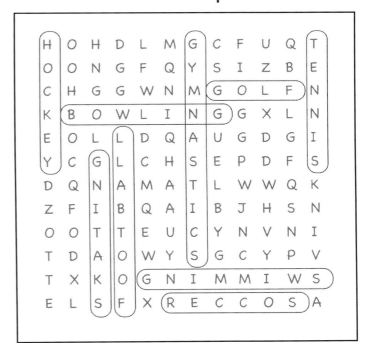

```
H O H D L M G C F U Q T
O O N G F Q Y S I Z B E
C H G G W N M G O L F N
K B O W L I N G G X L N
E O L L D Q A U G D G I
Y C G L C H S E P D F S
D Q N A M A T L W W Q K
Z F I B Q A I B J H S H
O O T T E U C Y N V N I
T D A O W Y S G C Y P V
T X K O G N I M M I W S
E L S F X R E C C O S A
```

Level 3 - Weather

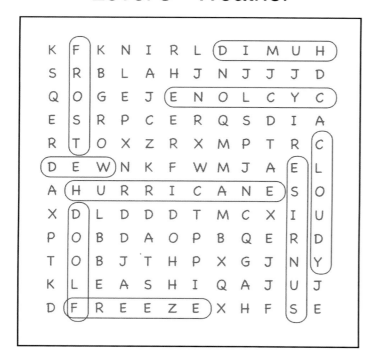

```
K F K N I R L (D I M U H)
S R B L A H J N J J J D
Q O G E J (E N O L C Y C)
E S R P C E R Q S D I A
R T O X Z R X M P T R C
(D E W)N K F W M J A E L
A (H U R R I C A N E)S O
X D L D D D T M C X I U
P O B D A O P B Q E R D
T O B J T H P X G J N Y
K L E A S H I Q A J U J
D (F R E E Z E)X H F S E
```

Level 3 - Zoo

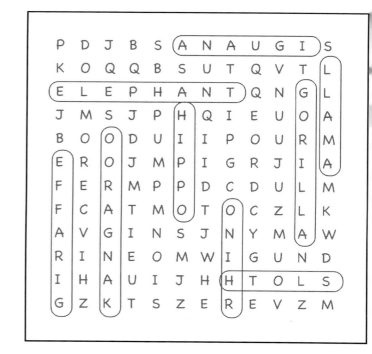

```
P D J B S (A N A U G I)S
K O Q Q B S U T Q V T L
(E L E P H A N T)Q N G L
J M S J P H Q I E U O A
B O O D U I I P O U R M
E R O J M P I G R J I A
F E R M P P D C D U L M
F C A T M O T O C Z L K
A V G I N S J N Y M A W
R I N E O M W I G U N D
I H A U I J H T O L S
G Z K T S Z E R E V Z M
```

84

Level 4 - Birds

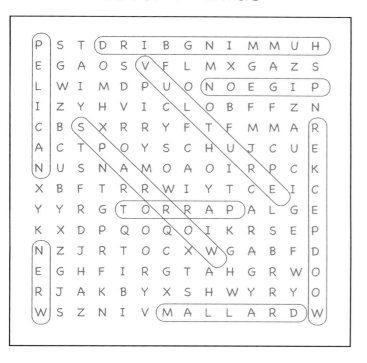

Level 4 - Camping

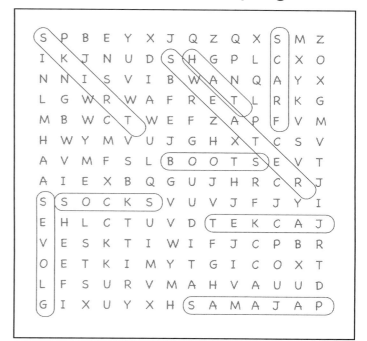

Level 4 - Clothes

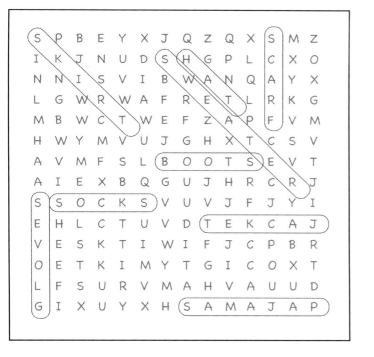

Level 4 - Kitchen

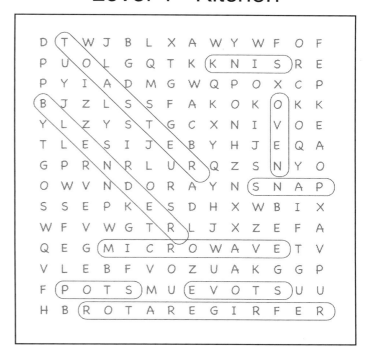

Level 4 - Land

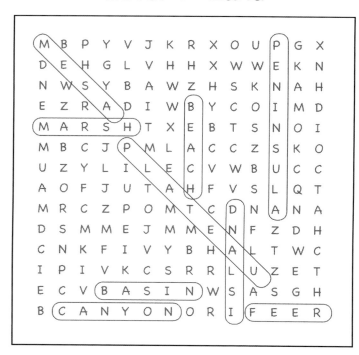

Level 4 - Measure

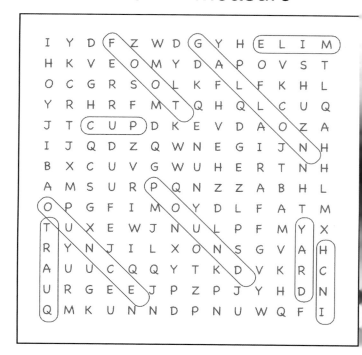

Level 4 - Ocean

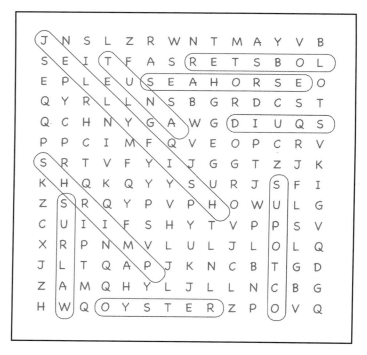

Level 4 - School

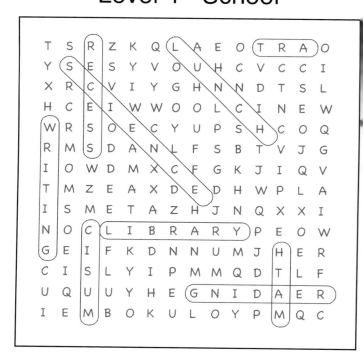

Level 4 - Space

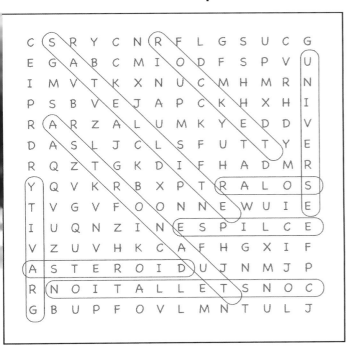

Level 4 - States

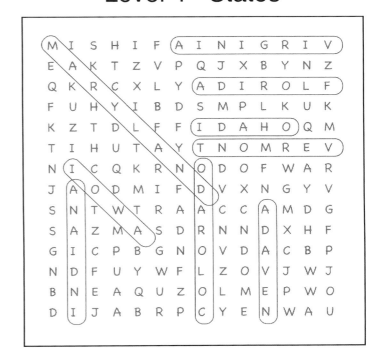

Beginner Music Series for Kids

Watch & Learn, Inc. has other products for elementary school-aged children.

Designed to quickly teach the beginning student to play songs they will know and love. These lessons start by playing with just the right hand and gradually build to adding the left hand thumb and learning how to play with both hands. Song arrangements provide an easy transition from learning the basics to covering more interesting rhythms, techniques, and musical ideas. The book features standard music notation for each song and exercise along with fingering notation and hand shifts to make the course easier to learn. This method includes online access to over an hour of video instruction that will help the child play with proper form and timing. The combination of book, video, and audio make this the easiest to understand piano course for kids available.

Designed to help the absolute beginning student learn to play the guitar. This step-by-step course is designed for elementary school-aged children (ages 5-10) and quickly teaches the student to play songs they will know and love. These lessons start by playing beginner chord shapes (G, C, G7, D) that are easier for younger students with smaller hands. Song arrangements and strum patterns were carefully selected to help children have early success playing the guitar. This course will help the young beginner avoid getting frustrated and quitting the instrument.

The next section of the book teaches the same songs but with full chord shapes. This can be used for either a beginner with larger hands or for a student who is now ready to expand their playing. This course includes online access to video instruction and audio tracks. The video lessons allow the child to hear and see how each song is played from a rhythm and technique standpoint. The video also shows the guitar, both hands, and the sheet music on-screen at the same time.

Designed to help the absolute beginning student learn to play the ukulele. This step-by-step course is designed for elementary school-aged children (ages 5-10) and quickly teaches the student to play songs they will know and love. These lessons teach beginner chords (C, G, G7, F) that are easier for younger students with smaller hands. Song arrangements and strum patterns were carefully selected to help children have early success playing the ukulele. This course will help the young beginner avoid getting frustrated and quitting the instrument.

This beginner method includes online access to video instruction and audio tracks. The video lessons allow the child to hear and see how each song is played from a rhythm and technique standpoint. The video also shows the ukulele, both hands, and the sheet music on-screen at the same time.

All of these books can be found on Amazon.com.

Made in the USA
Columbia, SC
21 December 2022

74644120R00050